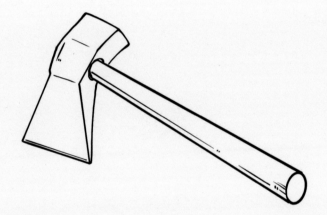

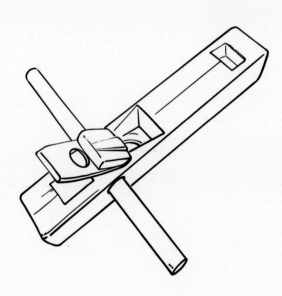

图书在版编目（CIP）数据

建长城 / 许慧君著；李叶蔚绘. — 北京：北京科学技术出版社，2019.1（2024.5 重印）
ISBN 978-7-5304-9823-1

Ⅰ. ①建… Ⅱ. ①许… ②李… Ⅲ. ①长城 – 介绍 Ⅳ. ①K928.77

中国版本图书馆CIP数据核字（2018）第198433号

策划编辑：代 冉 阎泽群	电话传真：	0086-10-66135495（总编室）
责任编辑：张 芳		0086-10-66113227（发行部）
责任印制：张 良	网 址：	www.bkydw.cn
封面设计：沈学成	印 刷：	北京捷迅佳彩印刷有限公司
图文制作：天露霖	开 本：	787mm×1092mm 1/12
出 版 人：曾庆宇	字 数：	38千字
出版发行：北京科学技术出版社	印 张：	3
社 址：北京西直门南大街16号	版 次：	2019年1月第1版
邮政编码：100035	印 次：	2024年5月第10次印刷
ISBN 978-7-5304-9823-1		

定 价：42.00元

国家文物局文物保护专家库成员王玉伟审订推荐

建长城

许慧君 著　李叶蔚 绘

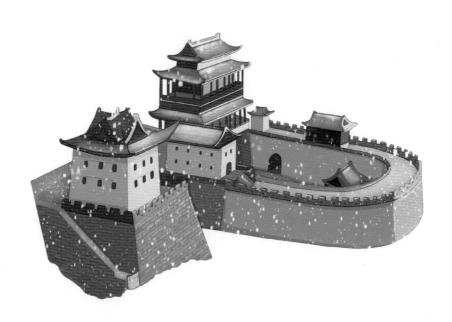

北京科学技术出版社

长城是我国古代重要的军事防御工程，
始建于春秋战国时期，
先后有很多朝代修建过长城。
到了距今 600 多年的明朝，
统治者十分担心来自北方的威胁，
不仅修整了前朝留下的长城，
还建造了新的长城，并派重兵沿线防守。
今天，我们所能看到的长城大多是明长城。

3

在修建长城之前，要先考察地形，
在地势较高的地方建造敌台，
随后建造墙体将敌台连接起来。
墙体有的建在地势平缓的地方，有的建在山脊上。
如果在修建过程中遇到悬崖峭壁，
工匠们便使它们和长城融为一体，
成为天然的"城墙"。

在山势较为平缓的地方，长城多直接以山体为地基

当山势险峻、山体很难清理的时候，则多在山体上铺上夯土、灰渣土或者毛石作为地基

长城一般依地势而建。
建造时先要做地基，
以使长城能更好地抵御自然灾害和战争的破坏。
地基主要有三种类型。

如果是平坦的地面，一般先把土地
夯实，再铺上灰土，夯实找平作为
地基

地基上面用大石块造好基础后，
才能开始砌墙体。
如果造基础的石头不够用，
工匠们还需要去附近的山里开采。
有些石头重达千斤，
工匠们先利用滚木和撬棍，将巨石一点点地挪下山；
然后，将形状不规则的石头简单修整成规整的石块。
最后，将这些石块错缝摆放平整。
这样形成的基础才能受力均匀，不会塌陷。

建造长城的砖看上去普通，其实制作起来很费力。

一块砖的制作通常要经过多道工序。

首先，工匠们将烧砖用的土筛去杂质，放入水塘浸泡；

然后，人或牛进入塘内踩踏，

这样可以将质地较粗的生泥踩成细腻的熟泥；

最后，取土质最细腻的部分制成砖坯，阴干后入窑，

用柴草或者煤炭烧制。

火候的掌控也是一个技术活：

火太大，砖体就会弯曲或出现裂纹；

火太小，砖体则难被烧透。

11

长城城墙的砌筑主要有三种方式：一种是用夯土砌筑；一种是用石头砌筑；一种是用砖石土混筑——有的先用条石造基础，到一定高度后，再用青砖砌筑城墙；有的造好基础后，先用夯土或者夹杂碎石的泥土修筑，再在外面砌筑青砖。

12

修筑长城所需要的砖主要靠牲畜运送。
为了提高效率，工匠们有时也会排成长队，
用依次传递的方式运砖。
工匠们砌墙时会用纯白灰砌筑和勾缝，
这样可以使砖和砖之间连接得更紧实。

每隔一段距离，
长城上就会有一座突出于城墙的敌台。
敌台可分为空心和实心两种，
其中，空心敌台上层有铺房的又称为敌楼，
它不仅可供守卫的士兵居住，同时也可以存放武器和弹药。

女墙

马道

垛墙

铺房

垛口

望口

长城曾经是中国古代农耕文明和游牧文明的分界线。
不过，出于军事或商贸往来的需要，
长城会留一些出入口。
这些出入口一般建在比较重要的两山之间
或者商旅往来的必经之路上，
被称为关。

小型的关仅仅是一扇城门，被称为关口，
大型的关是一座城堡，被称为关城。
关城大多是和城墙同时建成的。
军事长官住在关城里，发号施令，总揽大权。
如今，很多长城沿线的城镇就是由关城发展而来的。

长城沿线还有一些独立于墙体之外的高台，这就是烽火台。
烽火台一般建在山顶或者很高的地方，
有的烽火台在长城城墙外侧，用来通报来犯敌军的动向；
有的则位于城墙内侧，方便与官府联系。

烽火台之间间隔数千米，
如果白天有敌情就燃烟，夜晚则点火。
烽火台白天用旗帜，夜晚用灯笼来通报敌军数量，
旗杆上每悬挂一面旗帜或一盏灯笼，就代表有 500 名骑兵来袭。

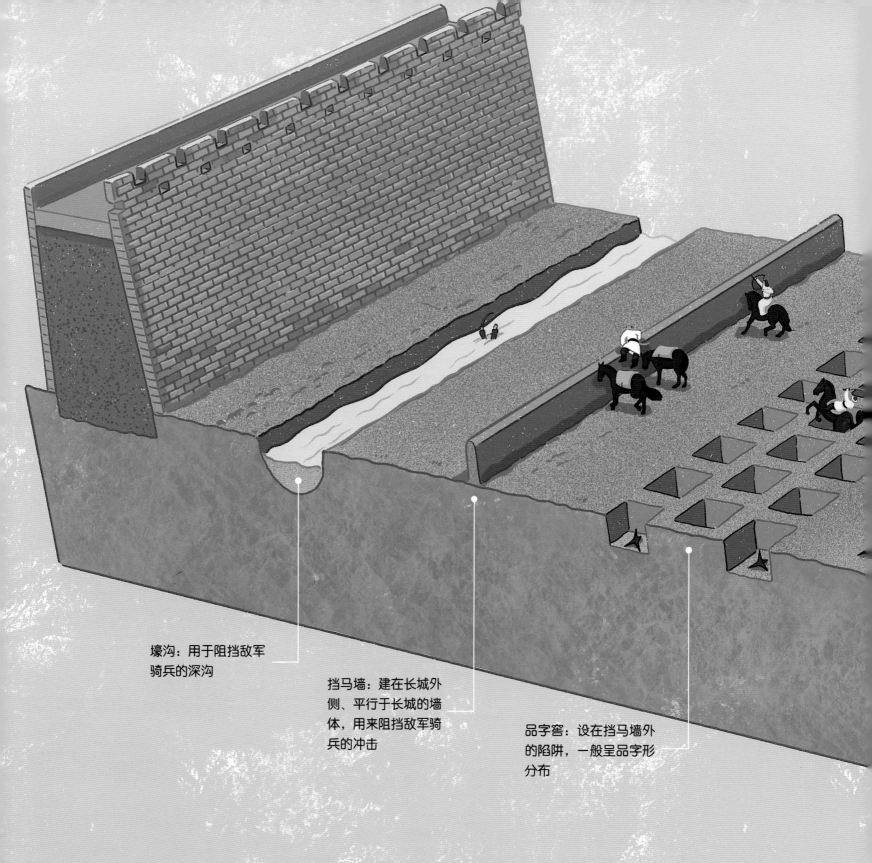

壕沟：用于阻挡敌军
骑兵的深沟

挡马墙：建在长城外
侧、平行于长城的墙
体，用来阻挡敌军骑
兵的冲击

品字窖：设在挡马墙外
的陷阱，一般呈品字形
分布

除了墙体、关城、烽火台等之外，
长城还有一些其他军事设施。
这些往往因地制宜，
通常不会同时出现。

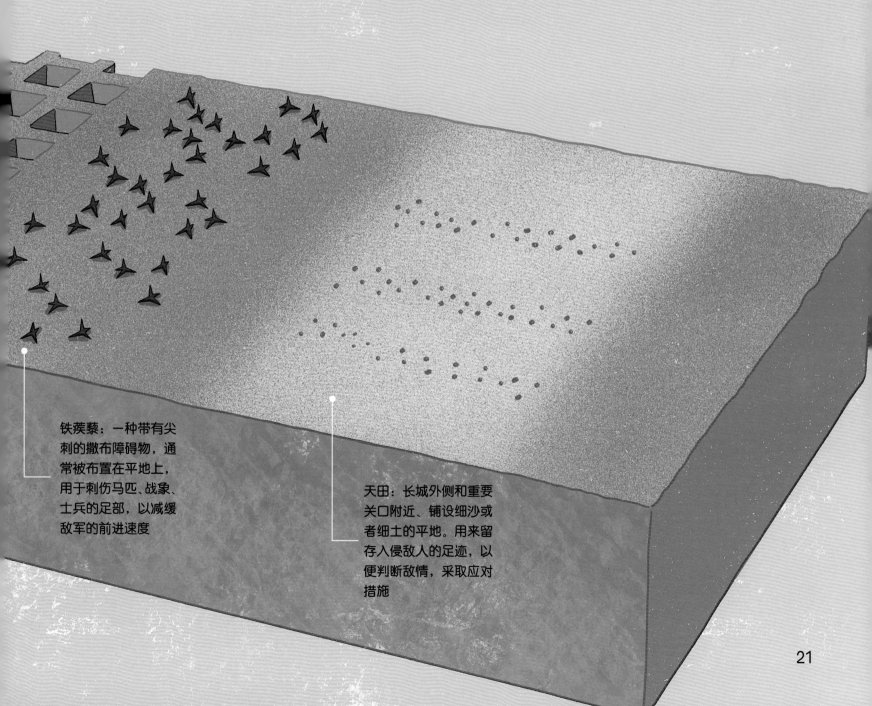

铁蒺藜：一种带有尖刺的撒布障碍物，通常被布置在平地上，用于刺伤马匹、战象、士兵的足部，以减缓敌军的前进速度

天田：长城外侧和重要关口附近、铺设细沙或者细土的平地。用来留存入侵敌人的足迹，以便判断敌情，采取应对措施

战争发生时，
长城上的将士们在收到烽火台的警报后，
会迅速制订作战计划，守好自己的位置，抵抗敌人的入侵。
明朝士兵所用的武器有弓箭和砍刀，
还有火炮等战斗力很强的火器。

23

在没有战争的和平时期，
长城内外的人们
会在长城两侧和长城的很多关城里开展互市。
这有利于长城内外的民族进行交流。

长城至今已有 2000 多年的历史，
历经风雨，再加上人为的破坏，也会"生病"。
有一些人致力于保护长城，
他们负责养护、加固、修缮长城，
以让它获得更长久的生命力，
让更多的人看到它。

篇后语

早在春秋战国时期，许多小国将土坯或者石块层层垒起来，修筑长长的城墙来保卫自己，这就是最初的长城。

后来，秦始皇统一中国，建立了我国历史上第一个大一统的国家。但是，秦朝依然受到匈奴的威胁。于是，秦始皇便派大将蒙恬修筑长城。历经将近十年的时间，燕、赵、秦三国北边的旧长城终于连为一体，这就是举世闻名的万里长城。秦朝存在的时间比较短，所以长城修建仓促，多用夯土，少数地区则在夯土外包砌石块。

汉朝不仅沿用了秦朝的长城，还大规模修筑新的长城。汉朝修筑的长城大量使用石块，部分是内用夯土、外包石块，部分则全用石块垒砌。此外，在汉朝，河西地区还出现了使用植物修筑的长城。古代人民发挥聪明才智，由下至上，先横向平铺一层植物根茎，然后用植物根茎束制作框架，内填沙土，分层向上叠筑，有红柳夹沙和芦苇夹沙等形式。

此后的三国、两晋、南北朝以及隋唐时期，不同的朝代都沿用旧长城和修筑新的长城。

金朝的时候，长城叫作界壕，是金朝用了 70 多年修筑的。这是一种特殊类型的长城，修筑时是先挖一条壕沟，来阻挡战马冲越，然后在沟的内侧垒筑高墙，形成一壕一墙，也有两壕两墙、两壕三墙等形式的。

　　长城除了借助山势形成山险，也借助水势形成水险。著名的九门口长城就是建在河道上，由巨大条石包砌起 8 座梭形桥墩，形成 9 扇水门，桥上部是高峻的城墙，水从桥下过，墙在桥上建。

　　我们今天所能看到的大部分长城是明长城，它的规模和质量都达到了历史最高水平。

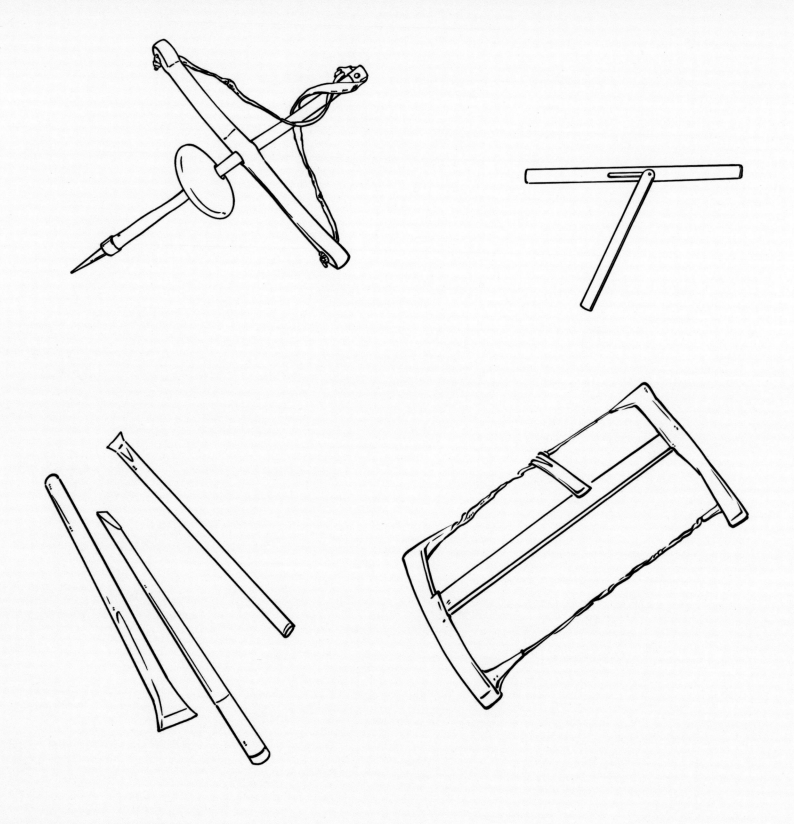